SCAN
for
Animated Audio eBook,
Vocabulary Cards,
Comprehension Questions,
Coloring Pages,
and more

KEEP CALM
AND
WASH YOUR HANDS

RETE KÈ POZE
EPI
LAVE MEN W

DEAR PARENTS AND TEACHERS,

Congratulations on encouraging your children and students to become bilingual and bilingually literate!

It is a decision that will pay dividends to your child or student for many years to come! Research has shown that it is easier for children who learn a language before the age of 6 to adopt a native accent. Research also shows that bilingual children have increased cognitive capacities.

The goal of Young and Bilingual™ is to accompany you and your children or students through the wonderful journey of becoming fully bilingual at a young age. The illustrations in each book are beautiful and colorful. Each book includes vocabulary words, a list of sight words used in the book, and phonic tips.

We have defined five different levels for our book series:

0 Nursery Rhymes
Sing along all time favorite traditional Haitian songs with your child!

1 Preschool-Kindergarten
Interactive reading, ideal for toddlers, who are discovering the world

2 Preschool to Grade 1
Simple sentences ideal for pre-readers, who start learning how to read (under 150 words)

3 Kindergarten to Grade 1
Short story ideal for beginner autonomous readers (under 300 words)

4 Kindergarten to Grade 2
Short story, which includes life lessons and cultural discoveries (under 600 words)

Young and Bilingual™ offers FREE supporting bilingual material on its website www.lapetitepetra.com to assist you and your children and students on this great journey of bilingualism. We welcome your feedback to improve continuously. Stay in touch with us, and, most importantly, enjoy the journey!

PARAN AK PWOFESÈ,

Konpliman dèske nou ankouraje pitit nou pou yo konn pale plizyè lang !

Se yon desizyon ki pral bay bon rannman pou tout lavi ti moun yo ! Rechèch montre ke, si yon ti moun aprann yon lang anvan li gen 6 an, l ap pi fasil pou l rive pale lang lan kòm si li se yon natif natal. Epi tou, rechèch montre ke ti moun ki bileng gen plis jèvrin nan kapasite yo kòm aprenan.

Objektif nou nan konpayi Young and Bilingual™, se pou nou akonpaye ou ak pitit ou yo oswa elèv ou yo, pou yo vin bileng byen bonè nan anfans yo. Ilistrasyon yo bèl, epi tou yo gen anpil koulè. Chak liv gen mo vokabilè ladan yo, lis mo outi ki sèvi nan liv la, ak esplikasyon pou pwononsyasyon plizyè son ki nan liv la.

Nou defini senk diferan nivo pou liv nou yo :

♪ Chanson Ti moun
Chante ansanm ak pitit ou chante tradisyonèl ou te pi renmen lè ou te piti !

⓿ Preskolè- jaden d anfan
Lekti entèraktif, ideyal pou ti moun piti k ap dekouvri monn lan

❷ Lekòl matènèl - premye ane fondamantal
Fraz ki senp, ki fèt pou ti moun ki pa ko konn li oswa k ap aprann li (mwens pase 150 mo)

❸ Jaden d anfan rive nan premye ane fondamantal
Istwa ki fèt pou ti moun ki fenk aprann li pou kont yo (mwens pase 300 mo)

❹ Jaden d anfan rive dezyèm ane fondamantal
Istwa ki kout e ki prezante leson lavi ak dekouvèt kiltirèl (mwens pase 600 mo)

Young and Bilingual™ ofri materyèl bileng GRATIS sou sit entènèt li a www.lapetitepetra.com pou ede ou ak pitit ou yo ak elèv ou yo vin bileng. Nou akeyi fidbak ou pou nou kontinye amelyore liv ak pwogram nou yo. Rete an kontak avèk nou, epi n espere tout ti moun yo ava pwofite !

DEDICATION

This book is dedicated to the families all over the world who suffered directly or indirectly from the Coronavirus. May we find meaning in this experience and come out stronger, more resilient than ever.

SPECIAL THANKS

To all the heroes around the world who put their life at risk to protect the victims of COVID-19. The world is a better place because of you.

DEDIKAS

Nou dedye liv sa a bay tout fanmi tout kote sou latè ki te soufri dirèkteman oswa endirèkteman ak maladi kowona a. Fòk esperyans sa a ban nou pi plis fòs ak rezistans toujou.

REMÈSIMAN ESPESYAL

Pou tout ewo sou latè a k ap riske lavi yo pou pwoteje viktim KOVID-19 yo. Latè a se yon pi bon kote gras a nou menm.

Publisher's Cataloging-In-Publication Data
(Prepared by Xponential Learning, Inc.)

Names: Kanzki, Krystel Armand, author. | Vynokurova, Oksana, illustrator.
Title: La Petite Pètra. Viris kowona esplikasyon pou ti moun = The Coronavirus Explained for kids/ Krystel Armand Kanzki ; illustrated by Oksana Vynokurova.
Other Titles: Viris kowona esplikasyon pou ti moun | The Coronavirus Explained for kids
Description: [Miami, Florida] : Xponential Learning Inc, 2020. | Series: La Petite Pètra | Bilingual. Haitian French Creole and English on opposing pages. | Interest age level: 005-010. | Summary: 'Petra and Lili explain to kids what the Coronavirus is and how it gets transmitted from one person to the next. They show children what to do to protect themselves from catching and spreading the virus'--Provided by publisher.

Identifiers: ISBN 9781949368284 (hardcover) | ISBN 9781949368710 (softcover) | ISBN 9781949368253 (eBook)

Revizyon : MIT-Ayiti

First Publication: March 2020
XPONENTIAL LEARNING INC
Copyright © 2020 Krystel Armand Kanzki

All rights reserved. No part of this publication may be reproduced, distributed, or transmitted in any form or by any means, including photocopying, recording, or other electronic or mechanical methods, without the prior written permission of the publisher, except in the case of brief quotations embodied in critical reviews and certain other noncommercial uses permitted by copyright law.

The Coronavirus explained for kids

Krystel Armand Kanzki
Illustrated by Oksana Vynokurova

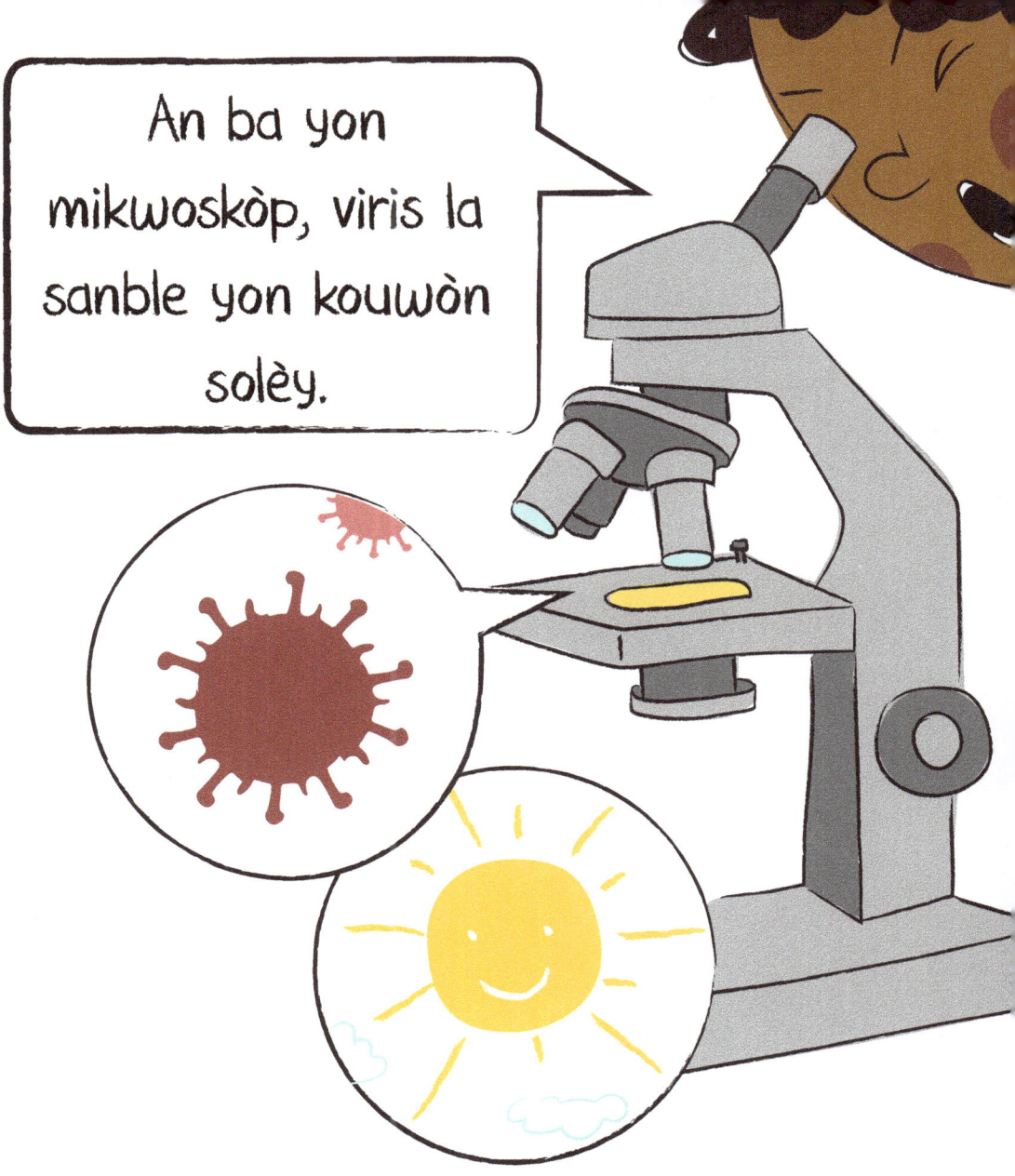

Se yon viris ki lakòz yon maladi yo rele KOVID-19.

It is a virus that causes a disease called COVID-19.

COVID-19

COrona
VIrus
Disease
2019

Li fè anpil moun malad tout kote sou latè.

It has made a lot of people sick all around the world.

Wi, kèlkeswa sa w sanble, laj ou, koulè w, kote w sòti oswa lang ou pale, ou ka trape viris sa a.

Yes, it does not matter what you look like, how old you are, what your skin color is, where you come from or what language you speak, you can get sick.

lè yon moun ki kontamine ak KOVID-19 touse, estènye, pale oswa lè li respire bò kote lòt moun, li ka lakòz lòt moun sa yo vin malad tou.

When a person who has caught the COVID-19 coughs, sneezes, talks, or even exhales close to other people, he can get these people sick.

Si ti goutlèt ki sòti nan nen li oswa bouch li vin ateri nan bouch oswa nan nen moun ki tou pre l, enben, moun sa yo ka pran viris la tou epi yo ka tonbe malad.

If the little drops produced from his nose or mouth land in the mouth or nose of people nearby, then they can get sick.

Bèl kesyon ! Si yon ti goutlèt tonbe sou yon bagay, ou manyen bagay la, epi apre sa ou manyen je w, bouch ou oswa nen w ak men ki kontamine a, ou ka tou pran viris la epi w ka tonbe malad !

Great question! If a droplet lands on an object, and you touch that object, then you touch your eyes, mouth or nose with that infected hand, you can get sick too!

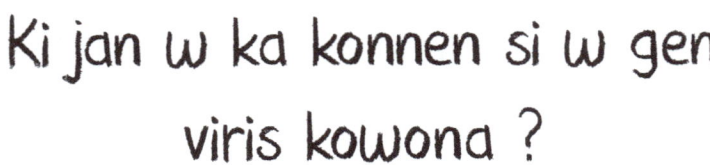

How do you know if you have the coronavirus?

> Sentòm yo sanble ak lagrip :

The symptoms are similar to the flu:

Yon tous sèch, ak gòj grate

Dry cough

Lafyèv

Fever

Difikilte pou respire

Difficulty breathing

Non, men, grandèt yo oswa moun ki deja gen pwoblèm sante gen plis chans pou yo vin malad anpil ak viris la.

No, but people who are old or already have health problems will get more sick with the virus.

Èske yon moun ki pa malad ak viris la ka fè yon lòt moun malad anpil ?

Can someone who does not get sick from the virus make someone else very sick?

Wi, sa ki pi grav, ou ka transmèt viris KOVID-19 menm si w pa konnen viris la nan kò w – paske w ka kontamine menm si w pa tonbe malad.

Yes, especially since you can be a carrier of coronavirus even if you don't know you are a carrier.

"Ki jan sa posib ?"

"How is that?"

"Paske se pa tout moun ki gen viris la ki vin malad."

"Because not everyone shows symptoms."

Dayè, se poutèt sa mwen pral ba w kèk konsèy ki ka anpeche ni nou ni moun ki bò kote w vin malad.

As a matter of fact, that is why I will share with you a few tips to prevent you and those around you from getting sick.

1 Lave men w ak savon

Wash your hands with soap

a Fè savon a kimen anpil !

Make a lot of suds with the soap

b Lave men w pandan 20 segonn pou pi piti

Wash your hands for at least 20 seconds

Ⓒ Lave men w lè w sot nan twalèt oswa lè w nan kote piblik (plas piblik, magazen, taptap)

> Wash your hands after using the bathroom or being in public places (playgrounds, stores, buses)

2

Estènye nan koud ou

Sneeze in your elbow

tankou yon lougawou

like a vampire

tankou yon dansè

like a dancer

3 Evite manyen je w, bouch ou ak nen w!

Avoid touching your eyes, mouth, and nose!

Fè tou sa nou kapab pou nou rete lakay nou, SITOU SI NOU MALAD.

You need to stay at home as much as possible, ESPECIALLY IF YOU ARE SICK.

"Pou ki sa?"

Why?

"Pou diminye kantite moun ki nan sitiyasyon kote youn ap kontamine lòt."

To reduce the number of people who can infect one another.

"Kach nen ka bloke pifò nan ti goutlèt ki ka enfekte yon moun. Lè nou tout mete kach nen, se youn k ap pwoteje lòt, kòm sa dwa."

Most potentially infected droplets can be caught by a mask. When we all wear a mask, we all protect one another.

Moun ki kontamine ak KOVID-19*	Moun ki an sante	Nivo pwoteksyon
COVID-19 carrier*	Healthy person	Protection level
		 ti kal / least
		 pi plis / some
		 anpil / maximum

*moun sa yo ka pa gen sentòm
* this person may be symptom free

METE KACH NEN !

Menm si maladi KOVID-19 la sou ou, ou p ap pase li bay lòt moun.

WEAR A MASK!

Even if you don't know you are carrier of COVID-19, you will not spread the disease.

Ou ka fè kach nen ki ka itilize plizyè fwa. Sa ki pi enpòtan, se pou w kouvri nen w ak bouch ou.

You can create a reusable mask yourself. The most important thing is to cover your nose and mouth.

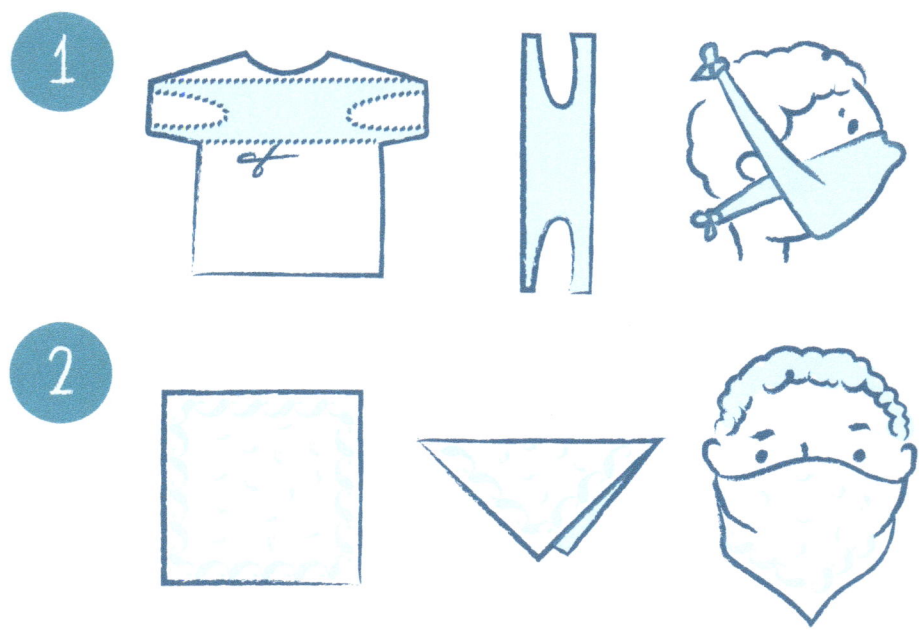

Si w sòti, li enpòtan pou chanje kach nen chak 2-3 è d tan. Lave li epi pase fè sou li apre chak fwa li fèk sèvi.

> It's important to change mask every 2-3 hours and wash or iron after each usage.

Fòk nou kenbe yon distans 2 mèt pou pi piti ant nou menm ak lòt moun. Kon sa, ti goutlèt moun ki estènye p ap rive jwenn nou.

It's keeping a distance of at least 6 feet between us and other people so that droplets of an infected person cannot reach us.

There are a lot of people all around the world who are working hard to protect you.

Ou pa bezwen enkyete w, men, fòk ou fè travay pa w : lave men w, mete kach nen, pratike distans sosyal epi fè tès si ou gen sentòm. Kon sa, w ap ka pwoteje tèt ou, fanmi w ak zanmi w !

You do not have to worry, but do your part by washing your hands, wearing a mask, practicing social distancing, and get tested if you have symptoms to protect yourself, your family, and your friends!

N a wè pi ta !

See you soon!

VOKABILÈ BILENG OU
YOUR BILINGUAL VOCABULARY

kouwòn
crown

malad
sick

goutlèt
droplets

men
hand

tab
table

liv
book

telefòn
phone

je
eyes

nen
nose

bouch
mouth

savon
soap

mas (kach nen)
mask

YOUNG & BILINGUAL™ SIGHT WORDS TIPS

Sight words are words that don't follow the rules of spelling or syllable decoding. Children are taught as pre-readers to memorize sight words as a whole, by sight, so that they can recognize them immediately (within a few seconds). The goal is to read sight words without having to use decoding skills.

EKSPLIKASYON KONSÈP "SIGHT WORDS"

"Sight words" se mo ki tounen tout tan nan lang anglè a, e ki pa swiv règleman òtograf ak dekodaj silabik. Timoun yo pou aprann memorize mo sa yo an antye, pou yo ka rekonèt yo imedyatman (nan yon kèk segond). Objektif la se pou yo li mo sa yo san yo pa bezwen esaye dekode mo yo ak règleman òtograf ak dekodaj anglè.

SIGHT WORDS FROM THE BOOK

SHORT VOWELS VS. LONG VOWELS

YOUNG & BILINGUAL ™ QUICK PRONUNCIATION TIPS

- 'Long vowel' is the term used to refer to vowel sounds whose pronunciation is the same as its letter name. The five vowels of the English language are 'a', 'e', 'i', 'o', 'u'.
- Each letter has a corresponding short vowel sound.
- When a word has two vowels, usually, the first vowel is pronounced as a long vowel and the second vowel is silent.
- The vowel 'i' and 'o' have the long vowel sound when followed by two or more consonants.

KÈK RÈG PRONONSYASYON POU NOU KONPRANN AN ANGLÈ

- Vwayèl 'long' se tèm yo itilize pou fè referans a son vwayèl ki gen pwononsyasyon menm jan ak lèt li yo. Senk vwayèl yo an anglè se 'a', 'e', 'i', 'o', 'u'.
- Chak vwayèl sa yo gen yon son kout.
- Lè yon mo gen de vwayèl, anjeneral ou pwononse son premye vwayèl la e ou pa pwononse dezyèm vwayèl la ditou.
- Vwayèl 'i' ak 'o' gen son vwayèl long la anjeneral lè lèt ki swiv yo se de konsòn.

LONG VOWELS		SHORT VOWELS
like virus	I	it is
stay table	A	talks what
sneezes disease	E	object gets
crown soap	O	lot problems
you flu	U	virus public

Check out our comprehension question in the free resources section on our website!

HAITI DISCOVERY SERIES

In this series, Petra and Lili discover their country, Haiti, and its rich culture. You will find level 1, 2, 3, 4 and Nursery Rhyme books to suit the needs of your child or students! Let us know what other parts of Haiti or the Haitian culture you would like Petra and Lili to explore!

SERI DEKOUVÈT AYITI

Nan seri sa a, Petra ak Lili ap dekouvri peyi yo, Ayiti, ak kilti ayisyen ki rich anpil.
W ap jwenn liv nivo 1, 2, 3, 4 ak Chanson Ti moun pou adapte ak bezwen pitit ou a oswa elèv ou yo ! Fè nou konnen ki lòt pati peyi d Ayiti oswa kilti ayisyen ou ta renmen Petra ak Lili eksplore !

N ap jwenn kesyon konpreyansyon pou istwa a nan resous gratis sou sit entènèt nou !

Our bilingual book series also
includes books in Spanish-English
and French-English and some of
our books are available in
Audiobooks to accompany our
young readers! Visit our website
www.lapetitepetra.com
to view all our titles today!

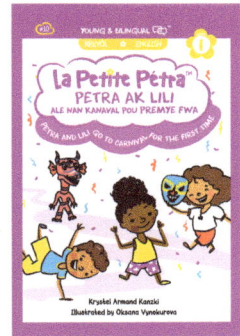

Koleksyon liv bileng nou ofri liv
an espanyòl-anglè ak liv an
fransè-anglè epi gen plizyè liv
ki disponib an fòma odyo pou
ti lektè nou yo !
Vizite sit wèb nou an
www.lapetitepetra.com
pou wè tout tit nan koleksyon
nou an !

www.ingramcontent.com/pod-product-compliance
Lightning Source LLC
Chambersburg PA
CBHW041327110526
44592CB00021B/2844